GILBERT DELAHAYE
MARCEL MARLIER

martine
j'adore mon frère !...

Texte de JEAN-LOUIS MARLIER

casterman

Délicatement, sans trembler, Martine ajoute encore deux cartes.

Ouf, c'est réussi !

– S'il te plaît Patapouf, murmure-t-elle à voix basse, je t'en prie, ne remue pas la queue. Le moindre courant d'air serait une catastrophe. Pour Jean qui s'approche, c'est l'occasion de s'amuser un peu.

– Tu connais l'histoire du grand méchant loup ? Celui qui soufflait sur la maison des trois petits cochons ? questionne-t-il, emplissant déjà ses poumons.

Patapouf s'interpose. Il grogne et montre les dents. " C'est moi
le gardien du château ! Loups ou garnements, gare à vos fesses ! "
Pas de doute, le chien ne plaisante pas. Jean comprend le message.
Prudent, il recule au plus vite.

Le petit frère
ose à peine respirer. Sous la main
agile de Martine, il guette le frisson
d'une reine noire effleurée, à peine,
par un valet de cœur.
Encore une carte et...

NON !

Un clown lancé avec force vient disloquer le fragile édifice. Carreaux, cœurs, piques et trèfles virevoltent un instant dans les airs pour retomber bien vite comme des feuilles en automne.

Le majestueux château n'est plus que ruines.

Furieuse, Martine s'élance vers son frère. C'est l'empoignade.

– **Assez !** crie Maman. Je ne veux plus rien
entendre, vous allez immédiatement filer
dans vos chambres !
Et que je ne vous revoie plus avant l'heure
du repas !

La porte refermée, Martine s'effondre sur son lit.

C'est vraiment trop injuste. Elle voudrait hurler pour que tout le monde le sache.

– Jean, je le déteste ! lance-t-elle, en donnant un grand coup de poing.

Maman n'aurait pas dû me gronder parce que, cette fois,

ce n'était vraiment pas de ma faute ! Hier, c'est vrai, je lui ai chipé

son poster, mais c'était lui qui m'avait... Qu'est-ce qu'il m'avait fait déjà ?

… De toute façon, dans cette maison,
c'est toujours moi qui ai tort !

Après un repas très silencieux, Martine décide
de se confier à son ami Cédric.
Elle est dans le bureau de Papa depuis à peine
cinq minutes, et déjà :

– Tu écris un mail ? questionne Jean
qui passe par là. C'est pour envoyer
à qui ? insiste le curieux. Quoi ?
Cédric ?
Mais tu es vraiment amoureuse
ma parole !

Martine ne peut en entendre plus.
Elle explose de colère...

10

D'un bond, avec une force inouïe, elle repousse l'importun.

Elle veut lui crier de la laisser en paix mais, déséquilibré,

le garçon bascule sur la petite table.

Dans un fracas effrayant, le vase se brise. Dossiers et bibelots

s'éparpillent en tous sens...

... Jean porte les mains au visage. Entre ses doigts,

du sang très rouge se met à couler.

– Tu... tu vas bien ? demande la fillette
épouvantée.

Jean se relève dans un gémissement.
Martine aimerait l'aider, le secourir, mais son frère
la repousse de l'épaule. Sonné, titubant, il avance
seul vers le salon.
Maman prend peur, Jean sanglote,
Papa accourt.

– Montre-moi ça ! Bon, on te conduit
à l'hôpital ! Vite à la voiture ! lance ce
dernier qui emporte déjà le blessé.

– Martine, toi tu gardes la maison et tu surveilles Alain.

Pas un mot de plus.

Maman prend le volant. Papa et Jean sont sur le siège arrière.

La voiture démarre en trombe.

Martine reste là, comme paralysée.

Après toute cette agitation, le silence et cette

soudaine solitude la font trembler des pieds

à la tête. Elle se sent mal, très mal et ne sait

plus où se mettre.

Martine recule vers le mur et se laisse
glisser jusqu'au sol. Recroquevillée
en une petite boule de tristesse,
elle se met à pleurer.

Des pleurs ! Des pleurs comme jamais Patapouf n'en avait entendu.
Le chien accourt vers sa petite maîtresse ; il l'interroge du regard,
cherche à comprendre. Affolé, il galope en tous sens puis, de sa truffe
humide, il tente d'écarter les mains crispées de la fillette.
– Martine ! Je suis là ! Que se passe-t-il ? Dis-moi tout !

Aujourd'hui, Patapouf regrette de n'être qu'un petit chien,
incapable d'arrêter les chagrins de son amie et
de la serrer tendrement contre son cœur.
L'apercevant enfin, Martine l'agrippe aussitôt.
Elle se cramponne à lui comme à une grosse bouée
de sauvetage.

– Oh, Patapouf ! Si tu savais ! gémit-elle.
– Haaaarg ! fait le petit chien à moitié étranglé.
Laisse-moi quand même respirer !

– Tu sais Patapouf, commence Martine,
j'ai dit plein de bêtises.

Ce n'est pas vrai que Maman est injuste.
Ce n'est pas vrai que je déteste mon frère ; non,
ce n'est pas vrai. Si de temps en temps
il m'agace, il faut bien avouer que, parfois…
moi aussi je cherche la bagarre.

On se chamaille mais on s'aime bien, ce n'est jamais méchant...
C'est comme le château de cartes de ce matin et ses singeries
devant l'ordinateur... J'ai été bien bête de me mettre en colère
pour si peu.

DRING !

Le téléphone ! Martine se précipite
car c'est certainement Maman qui appelle.

– Allô ? Martine ? C'est toi ?

– Qui... qui est-ce ? demande la fillette.

– Ben c'est moi, c'est Nicole.
Tu en as une drôle de voix !

Nicole, c'est vraiment une amie. Elle est venue tout de suite.
Martine lui a tout raconté. Ça fait tellement de bien de pouvoir parler
à quelqu'un, quand on est triste et qu'on a eu très peur.

– Il saignait, mais moi je ne l'ai pas fait exprès, je ne voulais pas !
– Bien sûr que tu ne le voulais pas. C'est un accident, reconnaît Nicole.

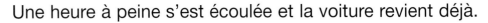

Une heure à peine s'est écoulée et la voiture revient déjà.

Et qui sort le premier, très fier de cette aventure ?

– Martine ! crie le garçon, tu aurais dû voir ça ! Le docteur m'a fait une piqûre et puis il m'a recousu pour arrêter le sang. C'était avec une grande aiguille et du fil : comme pour un bouton !

Nicole, venue se placer près de Martine, lui glisse à l'oreille :

– Tu vois ! Il est encore entier
ton frérot adoré !
Martine se sent enfin revivre.
Elle a eu tellement peur !

Plus tard dans l'après-midi,
Jean n'a pas été obligé de faire
ses devoirs. Maman l'a envoyé
se reposer.

Martine, elle, a passé près de deux heures
pour lui écrire un petit mot.

Dans cette lettre, elle lui a demandé de ne pas lui en vouloir, puis...

comme elle ne savait plus quoi écrire, elle a empli le reste de la page
avec des dessins très colorés.

Enfin, pour être totalement pardonnée, elle lui a préparé un cadeau,
dans un bel emballage, avec des rubans.

Toc, toc !

– Je peux entrer ?

– Ben, oui !

– Je suis désolée, commence

timidement Martine.

– Faut pas, c'est plutôt moi…

dit Jean sur le même ton.

Martine sourit.

– Bon, si tu insistes, je suis d'accord.
C'est toi le plus diable de nous deux.

– Oh ! fait Jean, ça c'est à voir. Pour les bêtises,
tu n'es pas la dernière !

Les enfants échangent
un regard de connivence.
La paix est faite. Martine est heureuse de cette
entente revenue.

– Dis, ce cadeau que je t'ai apporté ...
Et si on l'offrait à Papa et Maman ? Je crois que ce
sont eux qui le méritent le plus.

– Allons-y tout de suite ! approuve Jean tout réjoui.

Unis comme les doigts de la main, le frère et la sœur,
réconciliés, descendent ensemble l'escalier.

21

http://www.casterman.com
D'après les personnages créés par Gilbert Delahaye et Marcel Marlier / Léaucour Création.
Imprimé en Italie. Dépôt légal : septembre 2007 ; D. 2007/0053/480.
Déposé au ministère de la Justice, Paris (loi n° 49.956 du 16 juillet 1949 sur les publications destinées à la jeunesse).
ISBN 978-2-203-00778-9